D0241732

LES ANIMAUX EN LIBERTÉ

Sur terre et dans l'eau

2-03-651 174-0

LES ANIMAUX EN LIBERTÉ

Sur terre et dans l'eau

Texte de
CHANTAL BRAYER

Illustration de
JEAN-MARC PARISELLE

LIBRAIRIE LAROUSSE
17, rue du Montparnasse - 75298 Paris CEDEX 06

Les animaux que nous allons découvrir...

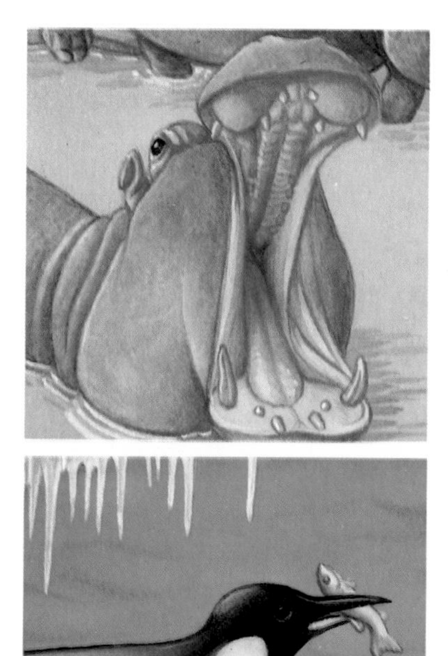

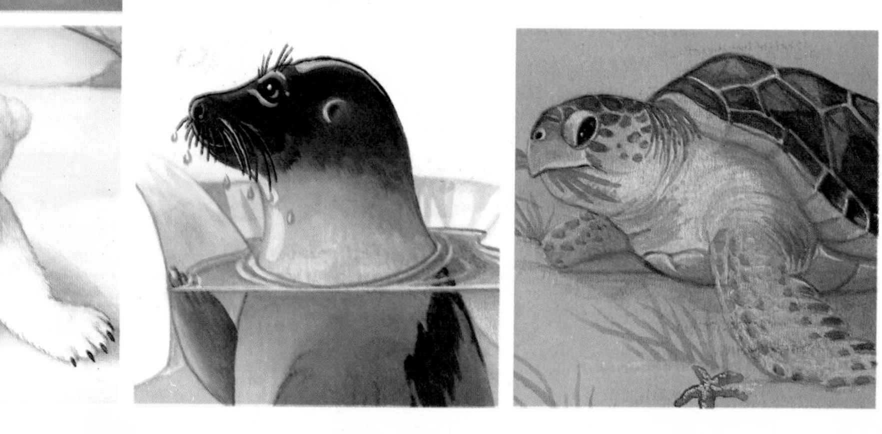

Le castor

Le castor est tout à fait à l'aise dans l'eau.
Sa fourrure très épaisse est imperméable.
Il nage rapidement grâce à ses pattes postérieures palmées.
Sa large queue aplatie, recouverte d'écailles,
lui permet de se diriger dans l'eau.
Ses narines et ses oreilles se ferment automatiquement
quand il plonge. Il peut rester ainsi sous l'eau 15 minutes.
En revanche, il est maladroit sur terre.
Il marche lentement et difficilement.
Il vit près des bois et des cours d'eau,
en Europe et en Amérique du Nord.

Avec ses énormes incisives
de couleur orange, il ronge l'écorce
des arbres, sa nourriture préférée.
Il se nourrit également de végétaux
aquatiques, de jeunes pousses
de peupliers, de trembles et de saules :
c'est un végétarien.

Lorsqu'il sent le danger,
il donne l'alarme en battant
l'eau avec sa queue, et tous
les castors comprennent
qu'ils doivent vite regagner
leur abri !

Pour se protéger de leurs ennemis, loups, renards,
lynx, chats sauvages, ours, loutres,
les castors cachent leur maison dans l'eau.

Les castors creusent des terriers, au bord des rivières.
Ils construisent également des huttes au milieu de l'eau,
avec des branchages, des brindilles et de la boue.
Pour maintenir l'eau toujours au même niveau
et éviter que leurs maisons ne soient inondées
ils élèvent des barrages. Leur travail s'effectue la nuit.
Ils rongent les arbres, les abattent,
les coupent en morceaux.

Les castors vivent en famille et les femelles
mettent au monde leurs petits dans leur hutte.
Les castors tètent leur mère pendant 2 mois.
Ils savent très vite nager et plonger.

Le crocodile

Le crocodile est l'un des plus grands reptiles du monde.
Il peut mesurer parfois plus de 7 mètres.
Il vit dans les régions chaudes, surtout en eau douce.
Pour se déplacer à terre, le crocodile glisse sur le ventre
ou marche dressé sur ses quatre pattes.

Les crocodiles pondent des œufs. Les femelles creusent leur nid
près de la rive et le recouvrent de terre et d'herbe.
Les petits piaillent avant l'éclosion pour appeler leur mère.
La femelle aide alors les bébés crocodiles à sortir du nid
et à se diriger rapidement vers l'eau, où elle pourra les protéger.

Carnivore, le crocodile mange poissons, tortues, oiseaux.
Il s'attaque aussi aux zèbres, aux gazelles, aux buffles,
aux antilopes, aux girafes et même aux lions.
Ses dents lui permettent de saisir ses proies,
mais ne lui servent pas à mastiquer.
Il se nourrit toujours dans l'eau.
Le crocodile adulte ne craint rien. Il n'a pas d'ennemi.

Il nage rapidement à l'aide de sa queue,
mais il se laisse le plus souvent flotter,
et seuls ses narines, ses yeux et ses oreilles émergent.

Lorsqu'il fait très chaud dans la journée,
le crocodile se repose sur la rive, la gueule grande ouverte;
certains oiseaux lui nettoient alors les dents.

La grenouille

La grenouille est un tout petit animal.
La grenouille verte mesure 7 à 10 centimètres.
Elle vit tantôt sur terre, tantôt dans l'eau.
Sa peau est lisse et elle n'a pas de queue.

Ses pattes postérieures, très longues
et vigoureuses, lui permettent
de sauter sur terre sans problème.
Mais la grenouille aime surtout l'eau
et s'y précipite toujours en cas de danger.
Elle nage d'ailleurs fort bien.

Chaque femelle pond
des milliers d'œufs qui deviennent
rapidement des têtards.
Les têtards ressemblent à des poissons.
Ils n'ont pas de pattes mais une queue
longue et plate, qu'ils agitent pour nager.
Ils possèdent des branchies
qui leur permettent de respirer sous l'eau.

La grenouille se nourrit de mouches, de papillons,
de libellules, de vers de terre et d'escargots.
L'hiver, lorsqu'elle ne trouve plus rien à manger,
elle s'endort bien à l'abri, dans la vase.
On dit qu'elle hiberne.

Au printemps, les mâles retournent
vers les mares et les étangs.
Ils coassent pour appeler les femelles.

Les têtards se transforment peu à peu.
Les pattes arrière apparaissent
puis les pattes avant.
Le têtard devient une petite grenouille
quand il perd sa queue et que ses branchies
disparaissent. Il peut alors quitter l'eau,
respirer l'air et sauter sur la terre ferme.

L'hippopotame

L'hippopotame vit en Afrique,
dans la région des grands fleuves et des lacs.

Herbivore, il se nourrit, d'une part,
de plantes aquatiques et, d'autre part,
d'herbes, de racines et de feuilles,
qu'il broute durant la nuit.

Les hippopotames se réunissent en troupeaux,
mais la femelle quitte toujours le groupe
pour mettre son petit au monde.
Le bébé naît dans l'eau et tète tout de suite sa mère.
Il est gris-rose, pèse environ 50 kg
et sait nager dès sa naissance.

La femelle surveille constamment son petit,
le porte parfois sur son dos
pour se déplacer dans l'eau.
Elle le protège de tous les dangers.

Les pattes de l'hippopotame sont très courtes et, quand il marche, son ventre touche presque le sol.
Il aime se rouler dans la boue.
Malgré son poids, il court plus vite qu'un homme!

Cet énorme animal, qui peut peser jusqu'à 4 tonnes, passe une grande partie de sa vie dans l'eau.
Quand il nage, on ne voit que ses yeux, ses oreilles et ses naseaux. Il n'a pas réellement d'ennemi, et, quand il ouvre ses mâchoires ornées de grosses canines, aucun animal n'ose l'attaquer.

Le manchot

Le manchot est un oiseau complètement adapté à la vie aquatique.
Ses ailes sont transformées en nageoires
et son plumage est imperméable.
Il peut passer plusieurs mois dans l'eau.

Le plus grand des manchots,
le manchot empereur,
pèse 40 kg et mesure 1 m de haut.

La femelle pond un œuf qu'elle confie au mâle
et retourne ensuite très vite à la mer pour se nourrir.
Chaque manchot mâle couve son œuf sous un repli du ventre.
Après la naissance des poussins,
les parents laissent parfois leurs petits
sous la surveillance d'un adulte.

Les manchots vivent en grandes colonies,
en bordure de l'Antarctique,
et communiquent entre eux par un cri
qui s'entend de très loin, sur terre et dans l'eau.
Le manchot se déplace en position verticale,
en se dandinant. Il aime aussi glisser sur la glace.

Le manchot se nourrit de poissons,
de crustacés, de mollusques.
Excellent nageur et plongeur,
il peut descendre
à 265 m de profondeur
et rester sous l'eau 18 minutes.
Il doit toujours se méfier
de son principal ennemi,
le léopard de mer.

L'ours blanc

L'ours blanc, ou ours polaire, est le plus gros carnivore terrestre.
Il pèse de 400 à 700 kilos. Il est vraiment très grand.
Quand il est debout sur ses pattes arrière,
il est plus grand qu'un homme.

L'ours polaire supporte parfaitement bien
le climat rigoureux dans lequel il vit.
Il habite, en effet, le pôle Nord,
région où la température peut descendre
au-dessous de − 50 °C !

La femelle met au monde ses petits
dans une grotte, qu'elle creuse dans la glace.
Elle passe ainsi l'hiver à l'abri avec ses oursons.

À leur naissance, les oursons sont vraiment minuscules.
Ils mesurent environ 30 cm et pèsent moins d'un kilo.
Ils tètent leur mère, jouent avec elle
et apprennent à nager et à chasser.

L'ours polaire ne connaît pas d'ennemi naturel. Le mâle n'a pas de domicile fixe.
Il se déplace constamment à la recherche de sa nourriture.

Il se nourrit surtout de bébés phoques.
Il mange également de jeunes morses, des saumons,
des baleineaux, des dauphins, des morues.
Sur terre, il s'attaque aux lemmings, aux oisillons.
Lorsqu'il a très faim, en été, il doit parfois
se contenter d'herbes, de champignons, de baies.

Il vit sur terre et dans l'eau. Il nage très bien
et peut plonger à 2 m de profondeur.
Il reste sous l'eau 2 minutes.
Sa fourrure très épaisse
le protège de l'eau et du froid.

Le phoque

Le phoque du Groenland habite l'océan glacial Arctique
et vit une grande partie de l'hiver sous la banquise.

Les femelles mettent bas un seul petit à la fois.
Le bébé phoque ne sait pas nager à sa naissance.
Il passe son temps à téter sa mère
et à dormir sur la banquise.
Il doit attendre d'avoir perdu sa belle fourrure blanche
et soyeuse et d'avoir revêtu une nouvelle fourrure
pour pouvoir apprendre à nager
et à pêcher comme les adultes.

Il se nourrit de morues,
de saumons, de harengs,
de crevettes, de coquillages,
d'hirondelles de mer.

Le phoque du Groenland est très agile dans l'eau.
Il plonge à de grandes profondeurs
et peut rester sous l'eau 20 minutes.

Pour se déplacer sur terre ou sur la glace,
le phoque se sert de ses pattes de devant.

Quand il nage sous la banquise, il doit creuser
des trous d'aération pour pouvoir respirer,
pour entrer dans l'eau et en sortir.
Mais l'ours blanc, son grand ennemi,
le guette parfois à la sortie!

La tortue de mer

La tortue verte porte sur le dos et sur le ventre une carapace.
Seules la tête, les pattes et la queue dépassent.
Elle nage à l'aide de ses larges pattes antérieures,
les postérieures lui servant de gouvernail.

La femelle quitte la mer
et vient régulièrement
sur terre pondre ses œufs.
Mais que c'est difficile pour elle
de se déplacer sur terre !
Elle doit fournir un gros effort
pour avancer sur la plage.

La femelle creuse un nid dans le sol
avec sa queue et ses pattes de derrière
et y dépose une centaine d'œufs.
Après la ponte, elle ne s'occupe plus de ses œufs
et retourne le plus vite possible rejoindre la mer.
Les jeunes sortent de leur coquille la nuit
et se précipitent en rampant vers l'eau.
Il faut faire vite, car de multiples ennemis les guettent,
notamment les oiseaux rapaces...

Une des tortues de mer, la tortue verte,
mesure 1 m de long et pèse 250 kilos.
Elle vit dans tous les océans chauds du monde.

Herbivore, la tortue verte
se nourrit de plantes aquatiques.
Active une partie de la journée,
elle se repose souvent à la surface de l'eau.

LE VOCABULAIRE

ADULTE

Qui a fini de grandir, qui n'est plus un enfant. Un animal adulte peut avoir plusieurs petits et les protéger.

ANTÉRIEUR

Qui est situé devant. Les pattes antérieures des animaux sont les pattes de devant.

AQUATIQUE

Qui vit dans l'eau. Tous les poissons sont des animaux aquatiques.

BANQUISE

Mer gelée.

BARRAGE

Sorte de mur qui empêche l'eau de passer. Les castors construisent des barrages.

BRANCHIE

Ouverture qui sert à respirer. Les poissons respirent avec leurs branchies.

BROUTER

Manger l'herbe en l'arrachant avec ses dents. Les hippopotames broutent la nuit.

CANINE

Dent pointue très développée chez certains animaux, par exemple chez l'hippopotame.

CARAPACE

Revêtement dur qui protège le corps de certains animaux. Les tortues ont le corps recouvert d'une carapace.

CARNIVORE

Animal qui se nourrit d'autres animaux.

COASSER

Crier comme le fait la grenouille.

COLONIE

Réunion d'animaux qui vivent ensemble. Par exemple, une colonie de manchots.

DANDINER (SE)

Balancer le corps. Les manchots avancent en se dandinant.

ÉCAILLE

Chacune des petites plaques qui recouvrent la peau de certains poissons, de certains reptiles.

ÉCLORE

Sortir de l'œuf. L'éclosion est la sortie de l'œuf.

ÉCORCE

Enveloppe qui entoure le tronc et les branches des arbres. Les castors rongent l'écorce des arbres.

ÉMERGER

Apparaître à la surface de l'eau.

FEMELLE

Animal du sexe féminin.

HERBIVORE

Animal qui mange des herbes, des feuilles.

HIBERNER

Passer l'hiver à dormir. La grenouille hiberne.

HUTTE

Petite cabane : abri des castors.

INCISIVE

Dent de devant qui sert généralement à couper. Les castors ont de puissantes incisives.

MÂLE

Animal du sexe masculin.

MASTIQUER

Mâcher, broyer.

METTRE BAS

Donner naissance, mettre au monde en parlant des animaux.

NAGEOIRE

Membre qui permet aux animaux aquatiques de se déplacer dans l'eau.

NASEAU

Narine de certains animaux, notamment de l'hippopotame.

PALMÉ

Dont les doigts sont réunis par une membrane. Les animaux qui passent une grande partie de leur vie dans l'eau ont des pattes palmées.

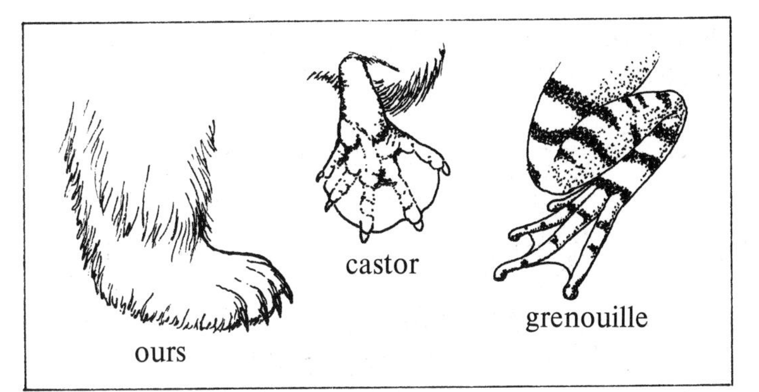

PIAILLER

Pousser de petits cris aigus.

PLUMAGE

Ensemble des plumes d'un oiseau.

POSTÉRIEUR

Qui est situé derrière. Les pattes postérieures des animaux sont les pattes de derrière.

PROIE

Animal chassé et mangé par un autre animal. Les poissons, les tortues, les oiseaux, les zèbres... sont la proie du crocodile.

RAPACE

Oiseau carnivore. Les aigles, les vautours, les chouettes, les hiboux sont des rapaces.

REPTILE

Animal qui rampe, qui se traîne sur le ventre. Les serpents, les lézards, les crocodiles sont des reptiles.

RONGER

User peu à peu, en coupant avec les incisives. Les castors rongent le tronc des arbres : ce sont des rongeurs.

TERRESTRE

Qui vit sur la terre.

TERRIER

Trou creusé dans la terre par certains animaux. Il sert d'abri. Les castors creusent des terriers au bord des rivières.

TÊTARD

Animal minuscule qui se transforme peu à peu en grenouille.

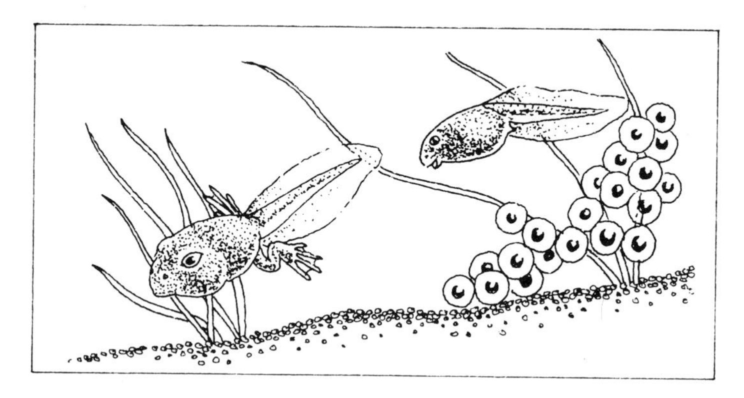

TROUPEAU

Groupe d'animaux qui vivent ensemble.

VÉGÉTARIEN

Animal qui ne mange que des plantes.

VERTICAL

Debout. Les manchots se déplacent en position verticale.

Photocomposition M.C.P., Fleury-les-Aubrais
Photogravure Photochromie, Gentilly
Imprimé en Italie *(Printed in Italy)*, Dépôt légal :
Octobre 1985 - 651 174 - Octobre 1985
Grafica Editoriale spa - Bologna